MARLÈNE JOBERT RACONTE

Glénat jeunesse

Éditions Glénat
Couvent Sainte-Cécile
37, rue Servan
38000 GRENOBLE

Avec la participation de Marlène Jobert
Illustrations de couverture : Giuseppe Ferrario et Flavio Fausone
Illustrations intérieures : Atelier Philippe Harchy
Photo de couverture : Marianne Rosenstiehl
Prépresse et fabrication : Glénat Production

Achevé d'imprimer en septembre 2016 en Pologne par Dimograf.

Dépôt légal : avril 2015
ISBN : 978-2-344-00776-1

Loi n°49-956 du 16 juillet 1949 sur les publications destinées à la jeunesse.

Il était une fois un petit garçon vif et malicieux qui s'appelait Jacques.

Il était toujours prêt à se lancer dans mille aventures ; rien ne lui faisait peur.

Sa mère, une pauvre veuve, ne possédait qu'une vache dont elle vendait le lait pour gagner de quoi vivre. Mais voilà qu'un jour les pis de la vache ne donnèrent plus une goutte de lait.

- *C'était là notre seule richesse, qu'allons-nous devenir maintenant ?* se lamentait la maman.

- *Ne t'en fait pas, je m'en irai gagner notre vie et je reviendrai avec plein, plein d'argent !* dit Jacques les yeux pétillants.

- *Mais non, comment feras-tu, mon petit ? Tu n'as que sept ans ! Emmène plutôt notre vache au marché et vends-la à celui qui t'en offrira le meilleur prix.*
- *Bonne idée !* fit Jacques
Aussitôt dit, aussitôt fait, il passa une corde au cou de l'animal et partit pour la ville.
En route il rencontra un vieil homme un peu étrange :
- *Bonjour Jacques !* lui dit-il en souriant.
- *Bonjour ! Mais comment savez-vous mon nom ?*
- *Ha ! ha ! Je suis un peu magicien... Tu vas au marché ?*

- *Oui, je vais vendre ma vache,* dit fièrement l'enfant.
- *Tu n'en tireras pas grand-chose. Dis-moi, mon grand, peux-tu deviner combien de haricots j'ai dans mes poches, si je t'apprends que j'en ai autant que de doigts à une main ?*
- *Oh ! facile !* répondit Jacques en s'esclaffant : *cinq !*
- *Tout juste,* fit le curieux bonhomme, en lui montrant cinq superbes grosses fèves.
Le petit garçon n'en avait jamais vu d'aussi belles. Il les admirait lorsque le vieil homme proposa :
- *Je te les donne si tu veux, mais en échange tu me laisses ta vache.*
- *Vous voulez rire, ma mère serait furieuse, je préférerais vous la vendre !*
- *Mes graines valent bien plus que ta vieille vache, crois-moi !* s'écria l'inconnu. *Tu ne connais pas leur pouvoir, petit, plante-les aujourd'hui et demain elles feront ta fortune.*

Jacques réfléchit un moment et finalement accepta d'échanger sa vache contre les haricots extraordinaires. Il empocha les graines, et, tout heureux, rentra vite chez lui.

- *Déjà de retour ?* s'étonna sa mère en l'apercevant. *On t'a donné combien pour notre vache ?*
- *Devine !* répondit Jacques, avec un air triomphant.
- *Allons, combien ? Montre vite !*
- *Tu ne devineras jamais,* reprit le petit tout excité en sortant les graines de sa poche.
- *Quoi, des haricots ! Notre vache pour cinq haricots ! Tu t'es fait rouler, triple idiot ! File te coucher !* s'écria la mère en le giflant.

Et, rouge de colère, elle jeta les graines par la fenêtre. Jacques se retrouva dans son lit, sans même avoir eu le temps d'expliquer à sa mère que les haricots étaient magiques...

À son réveil, il eut une curieuse impression : le soleil semblait avoir du mal à pénétrer dans sa chambre. Intrigué, Jacques sauta du lit, courut à la fenêtre, et là, quelle surprise !
Une énorme tige verte jaillissait de terre et fusait jusqu'au ciel, trouant les nuages.
C'était un des haricots qui avait germé pendant la nuit.
L'étrange vieillard n'avait donc pas menti !

- *Jusqu'où cela peut-il bien monter ?* se demanda Jacques en regardant la plante gigantesque, et il ne résista pas à l'envie de l'escalader. Il grimpa longtemps, longtemps, longtemps et finit par arriver sur un nuage. Il prit ensuite un chemin qui le mena tout droit à une maison plus vaste qu'un château.

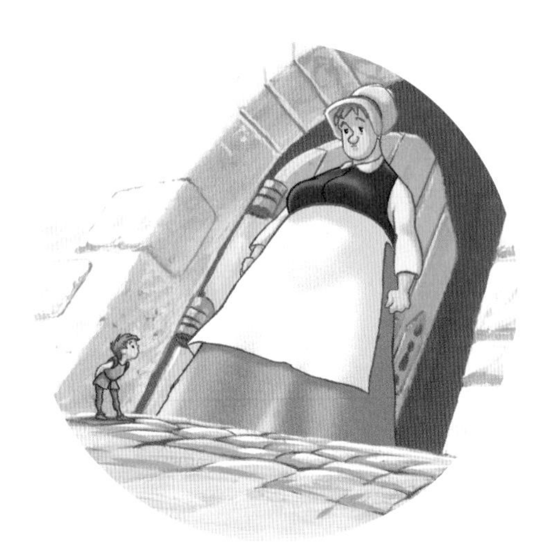

Devant la porte se tenait une femme d'une taille gigantesque. Jacques ne lui arrivait même pas aux genoux mais cela ne l'impressionnait pas du tout.
Comme il avait très faim, il la salua poliment et lui demanda :
- Bonjour madame, seriez-vous assez aimable pour me donner quelque chose à manger ?
- Mon pauvre enfant, c'est toi qui risques fort d'être mangé si tu ne pars pas immédiatement : mon mari est un ogre et il a un très gros appétit. Il va revenir d'un moment à l'autre et rien ne lui plairait davantage pour son déjeuner qu'un jeune garçon rôti... Sauve-toi vite !

- *Madame, je préfère encore mourir rôti que mourir de faim!* répondit le petit Jacques.
La géante, qui n'était pas une mauvaise femme, l'emmena à la cuisine et lui servit du fromage, du lait et du pain. Jacques n'avait pas encore avalé la moitié de son déjeuner que le sol se mit à trembler : l'ogre approchait.
- *Vite! saute là-dedans!* souffla la géante.
L'enfant eut à peine le temps de se cacher dans une marmite que le monstre de mari ouvrait déjà la porte et entrait.

Il était immense, terrifiant, et ses dents occupaient la moitié de sa figure ; il portait trois veaux attachés par les pattes à sa ceinture.
Il jeta les animaux sur la table en disant :

- Femme, fais-m'en donc rôtir deux tout de suite, je suis affamé, mais, qu'est-ce que je sens là et qui me chatouille les narines ? On dirait, on dirait l'odeur d'un enfant !
- Bah ! ce doit être celle du petit garçon que tu as mangé hier soir et qui flotte encore dans la cuisine, répondit la femme. *Va donc te laver pendant que je prépare ton repas.*
Lorsque l'ogre fut sorti, sa femme chuchota à Jacques :
- Attends qu'il dorme pour te sauver, il fait toujours une sieste après avoir mangé.

Le petit garçon obéit et ne bougea pas. Après qu'il eut dévoré ses deux veaux, le géant alla chercher plusieurs sacs et quand il en vida un sur la table, ce fut une pluie de pièces d'or. L'ogre se mit alors à les compter et recompter inlassablement jusqu'à ce que sa tête tombe sur sa poitrine et qu'il s'endorme. Son ronflement était plus fort que le tonnerre.

Jacques, qui avait tout vu, profita de ce que la femme eut le dos tourné pour sortir de sa cachette. Sur la pointe des pieds, il s'approcha tout près de l'ogre et, avec mille précautions, saisit un sac. Il courut aussi vite qu'un lièvre jusqu'à sa tige de haricot, lança d'abord le sac qui tomba, tomba, tomba et atterrit finalement dans son jardin ; puis à son tour il descendit. Sitôt en bas, il s'empressa de montrer le trésor à sa mère et de tout lui raconter.

Ils purent vivre sans soucis quelque temps... mais un jour, ils se retrouvèrent sans argent, alors Jacques décida de retourner chez l'ogre. Il escalada de nouveau sa tige de haricots, arriva au ciel, traversa les nuages et se retrouva devant la maison des géants.

- *Tiens, te revoilà toi !* fit la femme en ouvrant la porte. *Ne traîne pas ici, si mon mari te voit, il te croquera tout cru. Il est très en colère car un de ses sacs d'or a disparu.*
- *Madame, je peux vous expliquer ce qui est arrivé, mais seulement après avoir mangé.*
La géante était très curieuse d'entendre les explications de ce petit garçon intrépide.
Elle le fit entrer et lui servit deux immenses tranches de pain beurrées et un grand bol de chocolat au lait. À peine Jacques avait-il mordu dans une tartine que toute la vaisselle vibra dans la cuisine. L'ogre était déjà de retour et cette fois l'enfant dut se cacher dans le four.

Plus tard après avoir fini son repas, l'ogre ordonna :

- *Femme, apporte-moi donc ma chère petite poule !*
La géante la lui amena tout de suite et la laissa devant lui.
Le monstrueux colosse caressa doucement les plumes de la poule qui, aussitôt, pondit un œuf extraordinaire : un œuf tout en or ! Après l'avoir longuement contemplé, l'ogre satisfait glissa peu à peu dans un profond sommeil, et son fameux ronflement fut pour Jacques comme un signal. Il l'attendait avec impatience ; il sortit du four en silence et attrapa la poule. Mais celle-ci, effrayée, s'agita dans tous les sens et se mit à caqueter, glousser, piailler si fort que le petit courut plus vite qu'il ne l'avait jamais fait en tenant fermement l'animal sous son bras.

L'ogre réveillé par ce tapage hurla :

- *Femme, où est passée ma poule aux œufs d'or ?*
Mais l'enfant était déjà loin, il avait dégringolé le long de sa tige et arrivait dans son jardin.

- *Vas-y !* fit-il à l'animal en le caressant. Et sous les yeux éberlués de sa mère, la poule pondit encore un œuf d'or. Elle recommença chaque fois qu'ils le désirèrent, si bien qu'ils ne souffrirent plus jamais de la misère.

Mais quelque temps plus tard, Jacques, qui avait pourtant tout pour être heureux, s'ennuya.
Et un matin, ce fut plus fort que lui, il ne put résister au désir de regrimper au fameux haricot. Cette fois, il s'arrêta derrière un petit nuage et attendit sagement que la géante soit sortie chercher de l'eau au puits pour se précipiter dans la maison.
Bientôt avec un grondement sourd la terre trembla, la porte s'ouvrit à grand fracas : l'ogre et sa femme étaient de retour.
Jacques eut tout juste le temps de se cacher dans un placard.

- *Hum,* renifla le géant, *ça sent la chair fraîche !*
- *Mais non, il n'y a personne ici,* répondit sa femme, puis comme l'ogre regardait un peu partout, mais ne trouvait rien, elle ajouta :
- *Allons, allons, tu vieillis, ton flair te joue des tours !*
Le géant, vexé de s'être trompé, se mit à table mais se releva tout de même pour fouiller encore ici et là en marmonnant :

- *J'aurais pourtant juré... J'aurais pourtant juré.*
Après qu'il eut fini de manger, il demanda à sa femme de lui apporter sa harpe.
Il la posa délicatement à côté de lui et la harpe joua toute seule : elle était enchantée.
Jacques, dans son placard, était fasciné. La mélodie merveilleusement douce, suave et mielleuse berça l'énorme monstre qui, très vite, s'endormit. Et son ronflement se mêla alors à la musique, ce qui provoqua un effet assez comique.

En se retenant de rire, Jacques sortit du placard, et s'empara de la harpe enchantée.
Il bondit au-dehors, mais soudain, pour réveiller l'ogre, la harpe se mit à grincer toute seule d'une manière infernale.
Le géant sursauta et, furieux de voir le petit garçon s'enfuir, se rua à sa poursuite en rugissant.
Juste au moment où il allait l'attraper, Jacques réussit à sauter sur sa tige de haricot.
L'ogre hésita un instant à descendre mais, ivre de colère, il s'élança quand même après l'enfant.
Dès que le petit toucha terre, il cria à sa mère :
- *Vite, vite, apporte-moi la hache !*

La mère accourut aussi rapidement qu'elle put pour la lui tendre. Jacques cogna un grand coup sur la tige du haricot. Celle-ci se brisa et l'ogre de tout son énorme poids s'écrasa par terre la tête la première et ne se releva plus jamais.
Le petit garçon et sa mère étaient devenus si riches que lorsque Jacques fut grand, il put épouser une gentille et jolie princesse. La mélodie de la harpe enchantée accompagna longtemps leur bonheur immense, et la princesse ne cessa d'admirer son mari pour son audace, sa gaieté et son intelligence.